D1190098

СМОЛЕНСК
«РУСИЧ»
2006

УДК 882-93
ББК 84(2Рос-Рус)
И 18

Для дошкольного
и младшего школьного возраста

Художник *В. Довгяло*

И 18 **Иван – крестьянский сын и чудо-юдо**. Русские народные сказки. – Смоленск: Русич, 2006. – 64 с.: ил.– (Для самых маленьких)

ISBN 5-8138-0722-5

УДК 882-93
ББК 84(2Рос-Рус)

ISBN 5-8138-0722-5

ИВАН – КРЕСТЬЯНСКИЙ СЫН И ЧУДО-ЮДО

Жили-были старик и старуха, и было у них три сына. Младшего звали Иваном.

Разнеслась вдруг весть: собирается чудо-юдо поганое на их землю напасть, всех людей истребить.

Сыновья и говорят:

– Пойдём мы на чудо-юдо, будем с ним биться насмерть.

Взяли братья мечи булатные, котомки с хлебом-солью, сели на добрых коней и поехали.

Ехали они, ехали и приехали в какую-то деревню. Смотрят – кругом ни одной живой души нет, стоит одна маленькая избушка.

Вошли братья в избушку. Лежит на печке старая старуха.

Переночевали братья у старухи, а на утро отправились снова в путь-дорогу.

Подъезжают к самой реке Смородине, к калиновому мосту. По всему берегу лежат мечи да луки поломанные, кости человеческие.

Нашли братья пустую избушку и решили ночевать в ней.

– Братья, – говорит Иван, – давайте по очереди в дозор ходить, чтоб чудо-юдо через калиновый мост не пропустить.

В первую ночь отправился в дозор старший брат. Прошёл он по берегу – всё тихо, никого не видать. Лёг под ракитов куст да и заснул.

А Ивану не спится. Взял он свой меч булатный и отправился к реке

Смородине. Смотрит – под кустом старший брат спит. Не стал Иван его будить, спрятался под калиновый мост.

Вдруг подъезжает к реке чудо-юдо о шести головах. Выехало оно на середину калинового моста – конь под ним споткнулся, чёрный ворон у него на плече встрепенулся, позади него чёрный пёс ощетинился.

Говорит чудо-юдо шестиголовое:

– Ну что, слуги мои верные! Или чуете Ивана – крестьянского сына здесь? Так он ещё не родился, а если и родился, так на бой не сгодился: я его на одну руку посажу, другой прихлопну!

Вышел тут Иван – крестьянский сын из-под моста и говорит:

– Не хвались, чудо-юдо поганое! Давай-ка лучше силы пробовать.

Вот сошлись они. Иван – крестьянский сын с одного взмаха снёс мечом чуду-юду три головы.

– Стой, – кричит чудо-юдо. – Дай мне передохнуть!

11

– У тебя, чудо-юдо, три головы, а у меня одна, – сказал Иван и отрубил чуду-юду последние три головы. Все шесть голов под калиновый мост сложил. В избушку вернулся и спать лёг.

На другую ночь отправился в дозор средний брат. Походил он, посмотрел по сторонам, потом забрался в кусты и заснул.

Иван и на него не понадеялся. Как пошло время за полночь, взял он острый меч и пошёл к реке.

Вдруг въезжает на мост чудо-юдо о девяти головах. Вышел Иван ему навстречу – на бой вызвал.

Взмахнул Иван булатным мечом, и снёс у чуда-юда шесть голов. А чудо-юдо ударил – по колена Ивана в сырую землю вогнал. Захватил Иван горсть песку и бросил своему противнику в глазищи.

Пока чудо-юдо глазищи протирал, Иван срубил ему остальные головы и под калиновый

мост сложил. Сам в избушку вернулся, лёг и заснул.

Утром приходит средний брат.

– Не видал ли ты за ночь чего? – спрашивает Иван.

– Нет, возле меня ни муха не пролетала, ни комар не пищал.

– Ну, раз так, пойдёмте со мной.

Привёл Иван братьев под калиновый мост, показал им чудо-юдовы головы. Застыдились братья.

На третью ночь собрался идти в дозор сам Иван и говорит братьям:

– Как услышите мой свист – выпустите моего коня и сами ко мне на помощь спешите.

Пришёл Иван к реке Смородине. Только пошло время за полночь, выехало на мост чудо-юдо о двенадцати головах. Конь чуда-юда о двенадцати крылах, шерсть у коня медная, хвост да грива железные.

Вышел из-под калинового моста Иван – крестьянский сын.

– А, это ты, Иван! Зачем пришёл? – спрашивает чудо-юдо.

– С тобой насмерть биться, –

ответил Иван, размахнулся своим острым мечом и срубил чуду-юду три головы.

Чудо-юдо подхватил эти головы, провёл по ним своим огненным пальцем, к шеям приложил – и тотчас все головы приросли.

Собрался Иван с силами, размахнулся ещё раз и срубил чуду-юду шесть голов. Чудо-юдо подхватил свои головы, к шеям приложил – опять головы приросли. Кинулся он на Ивана – забил его по пояс в сырую землю.

В третий раз размахнулся Иван – крестьянский сын, срубил чуду-юду девять голов. Но головы опять приросли. Бросился он тут на Ивана и вогнал его в землю по самые плечи... Засвистел Иван, но спят его братья, не слышат. Тогда

снял Иван свою шапку и бросил в избушку. От того удара вся избушка зашаталась. Тут только братья проснулись, открыли конюшню, выпустили коня, а следом за ним и сами Ивану на помощь побежали.

Прискакал Иванов конь, стал бить чудо-юдо копытами. А Иван выбрался из земли, изловчился, отсёк чуду-юду огненный палец и давай рубить ему головы. Все сшиб, в реку Смородину побросал.

На другой день рано утром Иван встал и отправился к чудо-юдовым каменным палатам. Сидят в тех палатах три чудо-юдовы жены да мать, старая змеиха, замышляют, как Ивану отомстить. Послушал их речи Иван – крестьянский сын и вернулся к братьям.

Поехали братья домой. А день такой знойный, пить хочется. Смотрят братья – стоит колодец. Говорят они Ивану:

– Давай водицы попьём.

Соскочил Иван с коня и принялся колодец мечом рубить. Завыл колодец, заревел дурным голосом.

Тут спустился туман, жара спала – и пить не хочется.

Поехали братья дальше, увидели яблоню. Соскочили они с коней, хотели было яблоки рвать, а Иван давай яблоню мечом под самый корень рубить. Завыла яблоня, закричала...

Поехали братья дальше.

Ехали они, ехали, утомились. Смотрят – разостлан на траве ковёр узорчатый. Хотели братья полежать на том ковре, а Иван снял свой кушак и на ковёр бросил.

Вспыхнул кушак пламенем и сгорел.

Иван изрубил ковёр на кусочки и говорит:

– И колодец, и яблоня, и ковёр – все это чудо-юдовы жёны были. Хотели они нас погубить!

Поехали братья дальше.

Вдруг небо потемнело, ветер завыл, земля загудела: летит сама старая змеиха. Разинула пасть от неба до земли – хочет Ивана с братьями проглотить. Припустил Иван коня во всю прыть, а братья – за ним. Смотрят – стоит кузница.

Впустили кузнецы братьев. За ними закрыли двенадцать железных дверей на двенадцать кованых замков.

Подлетела змеиха и кричит:

– Кузнецы, отдайте мне Ивана.

А кузнецы ей в ответ:

– Пролижи языком двенадцать железных дверей, тогда и возьмёшь!

Принялась змеиха лизать железные двери. Одиннадцать дверей пролизала. Осталась последняя дверь...

Устала змеиха, села отдохнуть. Тут Иван – крестьянский сын выскочил из кузницы, схватил змеиху да со всего размаха ударил её о камни. Рассыпалась змеиха на мелкие кусочки, а ветер их во все стороны развеял. С тех пор все

чуда-юда да змеи в том краю исчезли – без страха люди жить стали.

А Иван – крестьянский сын с братьями вернулся домой к отцу, к матери. И стали они жить да поживать, как прежде поле пахать, рожь да пшеницу сеять.

НЕ ПЛЮЙ В КОЛОДЕЦ – ПРИГОДИТСЯ ВОДЫ НАПИТЬСЯ

Жили дед да баба. У деда была дочь, и у бабы дочь. Баба была злая-презлая, и дочь у неё такая же. Дед был человек смирный, и дочь его Машенька тоже девочка смирная, работящая, красавица.

Невзлюбила мачеха Машеньку и пристала к деду:

– Не хочу с Машкой жить! Вези её в лес, в землянку, пусть там прядёт!

Совсем заела мужика злая баба. Нечего тому делать: запряг он лошадь, посадил Машу на телегу и повёз в лес.

Ехали-ехали они и нашли в лесу землянку.

Жаль старику дочери, да делать нечего! Дал он ей кремешок, огниво, трут, мешочек круп и говорит:

– Огонёк, Маша, не переводи, кашку вари, избушку прибери, а сама сиди да пряди; завтра я приеду тебя проведать.

Попрощался старик с дочерью и поехал домой.

Осталась Маша одна, весь день пряла, а как пришла ночь, затопила печурку и заварила кашу. Только что каша закипать стала, как вылезла из-под полу мышка и говорит:

– Дай мне, красная девица, ложечку кашки.

Машенька мышку накормила, а мышка поблагодарила её и спряталась.

Поужинала Маша и села прясть.

Вдруг в самую полночь вломился медведь в избушку и говорит:

– А ну-ка, девушка, туши огонь, давай в жмурки играть! Вот тебе колокольчик серебряный: бегай да звони, а я буду тебя ловить.

Испугалась Маша, не знает, что ей делать, а мышка вылезла из-под полу, взбежала девушке на плечо и шепчет в ухо:

– Не бойся, Маша, полезай сама в печь, а колокольчик мне отдай.

Отдала Маша колокольчик и в печи спряталась. Стал медведь в жмурки играть: никак мышку поймать не может, а та бегает да колокольчиком звонит.

Разозлился медведь, перебил все горшки и миски, а мышку не поймал. Он и говорит:

– Мастерица ты, девушка, в жмурки играть! За это пришлю тебе утром стадо коней да воз добра – и ушёл.

Поутру баба посылает деда в лес:

– Поезжай посмотри, много ли твоя Машка напряла!

Уехал старик, а баба села у окна и дожидается, что вот-де приедет дед, Машуткины косточки в мешке привезёт.

Сидит баба час, другой, слышит – что-то по дороге из лесу тарахтит, а шавка из-под ворот:

– Тяф-тяф-тяф! Со стариком дочка едет, стадо коней гонит, воз добра везёт.

Крикнула баба на собачку:

– Врёшь ты, шавка! Это в кузове Машкины косточки гремят.

Но заскрипели ворота, кони на двор вбежали, а Маша с отцом сидят на возу – полон воз добра!

Разозлилась тут баба и говорит:

– Вези мою дочку в лес! Моя Наташа два стада коней пригонит, два воза серебра привезёт.

На другой день дед отвёз бабину дочь в землянку.

Наташа заварила кашу. Мышка выглянула из-под полу и просит:

– Красная девица, дай мне ложечку кашки.

А Наташа как крикнет:

– Ишь ты, гадина какая! Ещё каши захотела! – и швырнула в мышку поленом.

Мышка убежала, а Наташа села, всю кашу сама съела и легла спать.

В самую полночь вломился медведь в избушку.

– А ну-ка, девушка, давай в жмурки играть!

Взяла Наташа колокольчик и стала бегать. Да куда там – колени трясутся, рука дрожит, колокольчик без толку звонит, а мышка из-под полу отзывается:

– Злой Наташке избитой быть!

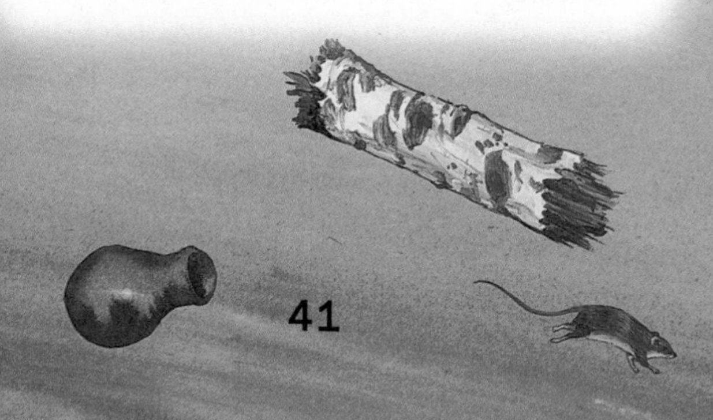

Посылает баба старика в лес.

– Поезжай, – говорит, – гони коней, вези серебро.

Уехал старик, а баба села у ворот и ждёт. Вот затарахтело по дороге из лесу, а собака из-под ворот:

– Тяф-тяф-тяф! Хозяйкина дочка едет, охает да кричит, а пустой воз тарахтит.

– Врёшь ты, шавка! Это серебро в сундуках звенит.

Подъехал старик с Наташей, и насилу-то её с пустого воза сняли.

Завыла тут злая мачеха, да делать нечего. А Машенька скоро за доброго молодца замуж вышла.

НИКИТА КОЖЕМЯКА

На берегу Днепра стоял древний Киев. Жили в нём русские люди.

Жили-поживали, горя не знали. Да нагрянуло горе нежданно, негаданно.

Повадился летать в город страшный змей. Тело у змея в чешуе зелёной, а на шее сразу три головы. Пасти огнём пышут. Как налетит змей на город – всё небо чёрными крыльями закроет. Летит змей, шипит:

– Всех огнём спалю. А хотите в живых остаться, так умейте меня угостить. Буду я к вам раз в месяц прилетать, по девушке поедать.

И стали жители каждый месяц приводить по девушке. Привяжут её

цепями к дубу старому и уйдут. А змей прилетит ночью и съест её.

Так он всех девушек киевских поел. Осталась одна царская дочка. Настал её черёд.

Привели царевну к старому дубу, цепями привязали и оставили одну. Только беленький её голубок не захотел от дуба улетать.

Змей к дубу подлетел, на девушку глядит, глаз оторвать не может.

– Не пугайся, красавица, – шипит, – не съем я тебя. Уж больно ты хороша. Возьму тебя с собой. Будешь у меня жить за хозяйку.

Подхватил он царевну на крылья и унёс. А голубок за ним следом полетел.

Оставил змей царевну в своём змеином логове, а сам за добычей улетел. А голубок белый в тёмном углу спрятался.

И стала царевна у змея жить.

Днём в логове одна с голубком сидит, а вечером змей прилетает, отдыхает в углу на своём ложе змеином да на царевну любуется. Вот как-то раз днём улетел змей, а царевна и говорит голубку:

– Лети-ка ты домой, отнеси письмо батюшке с матушкой. Не придумают ли они, как меня отсюда выручить.

Принёс голубок письмо. Царь с царицей обрадовались, что жива царевна, собрали советников.

И говорят им советники:

– Пусть царевна у змея допытается, кого он боится. Не может быть, чтобы на него никакой погибели на свете не было.

Написали царь с царицей дочке письмо и полетел голубок обратно в лес.

Прочла царевна родительское письмо, стала вечера дожидаться.

Вечером прилетел змей домой, а царевна и спрашивает его:

– Ох, змеюшка-змей, и силён ты, и страшен. А правда ли, что никого на свете сильнее тебя нет?

– Так и быть, скажу тебе правду: есть в Киеве богатырь. Он кожи мнёт да дубит, ему и прозвище дали – Никита Кожемяка. Только он один на свете сильнее меня. Его одного я боюсь.

Улетел змей, а царевна письмо написала, привязала голубю под крылышко, и полетел голубь к Киеву. Прочли во дворце письмо. Посылает царь слуг:

– Найдите Никиту Кожемяку. Скажите – царь зовёт.

Приходят слуги к Никите.

– Пойдём, Никита, во дворец, царь зовёт, – говорят ему.

– Не пойду. Недосуг мне, – отвечает Никита. Перекинул через

плечо двенадцать кож бычьих разом да и понёс к реке.

Вернулись слуги ни с чем. Пошёл царь сам просить.

– Никитушка! Выручи! Спаси царевну.

Но как ни просил царь – не соглашается Никита. Всю ночь царь с советниками думу думал: как бы Никиту упросить. И надумал:

собрал он пять тысяч девочек-сирот да и послал их к Никите.

Приходят сиротиночки в Никитин дом, встали на коленки и плачут:

– Дяденька Никита, пожалей нас! Подрастём мы, всех нас по очереди змей поедать станет.

Жалко стало Никите сирот.

– Ладно, пойду попробую.

И стал Никита Кожемяка на битву снаряжаться. Взял он триста пудов пеньки, насмолил смолой да и обвертелся весь: такой бронёй окутался, что ни мечом не просечь, ни змеиным зубом не прокусить.

Пришёл он к логову змеиному, ударил по брёвнам, выполз змей.

Зашипели три его пасти, повалил из них дым да огонь. Богатырь стал своей палицей змея бить. Шипит змей от боли и ярости, да никак ему богатыря не одолеть. Хотел он Никиту пополам перекусить, да зубы в смоле завязли, не вытащить.

– Не губи меня, – взмолился змей, – давай с тобой уговоримся: разделим землю пополам. Ты будешь в одной половине жить, а я в другой.

– Ладно, – говорит Никита, – Только надо между нами границу поглубже проложить.

Взял он соху в триста пудов, запряг в неё змея. И потащил змей соху. Тащит её от Киева до моря

Каспийского, опять к Киеву и обратно. Умаялся змей, а Никита знай покрикивает:

– Тащи, тащи, а то межа плохо видна будет.

Прорыли борозду глубокую.

– Теперь давай море делить, – говорит Никита.

Потащил змей соху в море – думал, что и воду можно бороздой разделить. А море-то глубокое, дна не достать. Захлебнулся змей и утонул.

Идёт Никита обратно к Киеву. Народ навстречу ему бежит – радуются все, пляшут, песни поют. Царь с царицей дочку за руку ведут, несут Никите дары драгоценные – золото, меха, одежды парчовые, жемчуг скатный. А Никита и брать ничего не хочет.

– Куда мне, – говорит, – добро ваше? Не ради награды я со змеем бился, а людей пожалел.

И вернулся Никита к себе домой кожи мять.

А слава про Никиту далеко пошла. И сложил про него народ эту сказку.

СОДЕРЖАНИЕ

Литературно-художественное издание
Серия «Для самых маленьких»

**Иван – крестьянский сын
и чудо-юдо**

Русские народные сказки

Для дошкольного
и младшего школьного возраста

Ответственный редактор *Т. А. Комзалова*
Дизайнер обложки *Е. Г. Власова*
Технический редактор *Е. В. Михалкина*
Корректор *Г. В. Петрова*

Подписано в печать 18.11.2005.
Формат 70x90/32. Бумага офсетная. Гарнитура
«Textbook». Печать офсетная. Усл. печ. л. 2,34.
Тираж 7 000 экз. Заказ 1933.

«РУСИЧ». Лицензия ИД №04277 от 15.03.2001
214016, Смоленск, ул. Соболева, 7
E-mail:rusich@keytown.com – редакция,
E-mail:salerus@keytown.com – отдел реализации

Издано при участии ООО «Харвест».
Лицензия №02330/0056935 от 30.04.2004.
РБ, 220013, Минск, ул. Кульман, д. 1, корп. 3, эт. 4, к. 42.

Республиканское унитарное предприятие
«Минская фабрика цветной печати».
220024, Минск, ул. Корженевского, 20.